*Gracias a Cherith Baldry*

*A James Noble,*
*el niño que sería Tom*

Originally published in English as *Beast Quest: Sepron the Sea Serpent*

Translated by Macarena Salas

ISBN 13: 978-0-545-09804-5
ISBN 10: 0-545-09804-1

12 11 10 9 8 7 6 5 4 3 2          9 10 11 12 13/0

Printed in the U.S.A.

First Scholastic Spanish printing, November 2008

# SEPRON
# LA SERPIENTE MARINA

## ADAM BLADE

SCHOLASTIC INC.

New York  Toronto  London  Auckland  Sydney
Mexico City  New Delhi  Hong Kong  Buenos Aires

*Bienvenido a Avantia. Yo soy Aduro, un brujo bueno, y vivo en el palacio del rey Hugo. Te unes a nosotros en momentos difíciles. Déjame que te explique…*

*Dicen las Antiguas Escrituras que, un día, el pacífico reino de Avantia se verá amenazado.*

*Ese día ya ha llegado.*

*Bajo el maleficio de Malvel, el Brujo Oscuro, seis Fieras —el Dragón de fuego, la Serpiente marina, el Gigante de la montaña, el Hombre caballo, el Monstruo de las nieves y el Pájaro en llamas— se han vuelto malvadas y pretenden destruir la tierra que antes protegían.*

*El reino corre un gran peligro.*

*Las Antiguas Escrituras también predicen que aparecerá un héroe inesperado. Está escrito que un muchacho emprenderá la Búsqueda para liberar a las Fieras y salvar el reino.*

*No sabemos de dónde surgirá este joven, pero sabemos que ha llegado el momento.*

*Rezamos para que este muchacho tenga el coraje y la osadía suficientes para llevar a cabo esta misión. ¿Quieres unirte a nosotros y ver lo que sucede?*

*Avantia te saluda.*

*Aduro*

El barco de pesca se mecía tranquilamente sobre las olas. Calum tiró de la escota y bajó la vela. Su padre comenzó a echar la red al agua, silbando suavemente mientras trabajaba.

—No sé por qué nos molestamos —gruñó—. ¡No hemos pescado nada en un mes!

—Ya sabes lo que dicen los rumores —comentó Calum—. La Serpiente marina ha asustado a los peces.

Su padre protestó.

—¡Leyendas de viejas! Además, se supone que la Serpiente marina estaba aquí para ayudar.

Calum miró a su alrededor, tiritando ligeramente. Nada sobresalía de la superficie del mar salvo una pequeña isla rocosa que estaba cerca de la playa.

Cuando levantaron la red, no había nada.

—Es inútil —dijo su padre.

Volvieron a echar la red. Calum se quedó mirando cómo se hundía en el agua, y de repente vio algo entre el barco y la costa. Parecía como si el agua empezara a hervir. Entonces, el mar empezó a sacudirse con furia, formando espuma sobre las olas y haciendo que éstas rompieran con fuerza contra las rocas.

—¡Mira! —gritó, señalando—. ¡Allí!

Su padre se dio la vuelta, agarrándose al borde del barco, que se escoraba peligrosamente.

De pronto, salió del agua una cabeza monstruosa que descansaba sobre un cuello largo y delgado. Estaba cubierta de escamas de muchos colores, plagadas de percebes. La Fiera llevaba en el cuello un collar dorado, que brillaba bajo la luz del sol, y una cadena brillante que se perdía en el agua.

—¿Qué es eso? —gritó el padre de Calum.

Calum buscó la escota desesperadamente para izar la vela, pero era demasiado tarde. La Fiera había arqueado el cuello, y su inmensa cabeza se encontraba justo encima del barco. Calum contempló sus grandes ojos cargados de furia, que parecían quemar como el fuego helado.

Muerto de miedo, vio cómo las fauces de la criatura se abrían. Sus largos colmillos curvos crujieron al morder el mástil, y una lluvia de astillas cayó sobre padre e hijo. El barco escoró, y empezó a entrar agua. Calum se agazapó, se tapó la cabeza con los brazos y cerró los ojos con fuerza, mientras el rugido de la Serpiente marina retumbaba a su alrededor.

# CAPÍTULO 1

# EL CAMINO AL OESTE

Tom puso a *Tormenta* al paso y lo hizo pararse al pie de la ladera rocosa. Él y Elena se bajaron para que el caballo pudiera descansar. *Plata*, el lobo, se tumbó a su lado, jadeando con la lengua fuera.

Atrás había quedado la colina donde Tom se enfrentó a *Ferno*, el Dragón de fuego, y lo liberó del maleficio de Malvel, el Brujo Oscuro. El dragón había quemado las cosechas de toda Avantia y había detenido el curso del río, haciendo que la tierra se secara. Cuando Tom abrió el collar mágico que lo tenía prisionero, el dragón se liberó del maleficio. Salió volando y derribó la presa que detenía las aguas del río, provocando un torrente espumoso que bajó por la colina.

—Nunca olvidaré cómo rompió *Ferno* las rocas con la cola —dijo Elena, como si le acabara de leer los pensamientos a Tom—. ¡Ni cómo te subiste a su ala! Fuiste muy valiente.

—No habría salido bien si no me hubieras lanzado la flecha con la llave atada —contestó Tom, un poco avergonzado.

—Lo que hiciste fue lo más increíble que he visto en mi vida —insistió Elena.

—Liberamos a *Ferno* entre los dos —dijo Tom firmemente—. Y ahora, en Avantia vuelve a haber agua.

—Sí y ya no hay más cosechas quemadas —asintió Elena.

*Plata* volvió a lanzar un gemido.

Elena miró a Tom con determinación.

—Sigamos adelante —dijo.

Las palabras del brujo Aduro todavía le resonaban a Tom en los oídos. Liberar a *Ferno*, el Dragón de fuego, había sido su primera misión. El maleficio de Malvel había convertido a todas las Fieras de Avantia en monstruos malvados que estaban destruyendo el reino. La misión de Tom era liberar a todas las Fieras y salvar al pueblo. Tom no estaba seguro de poder conseguirlo. Había muchas Fieras y su capacidad era limitada, pero lo iba a intentar con todas sus fuerzas y todo su valor.

«Mientras corra la sangre por mis venas —pensó— nunca me rendiré».

Ésta era la aventura que Tom había estado esperando toda su vida. Y aunque su padre, Taladón *el Rápido*, había desaparecido cuando Tom era un bebé, Tom estaba decidido a conseguir que se sintiera orgulloso de él.

—Volvamos a mirar el mapa —dijo.

Sacó el pergamino que le había dado el brujo Aduro. En el mapa brillaba un camino verde y sinuoso que atravesaba bosques y colinas hasta llegar al mar del oeste.

Mientras Tom miraba el mapa, apareció una pequeña cabecita en las olas que estaban dibujadas en el papel, justo al lado de un saliente que parecía una isla. Una cola dentada golpeó el mar, lanzando agua al aire. Una gota de agua le cayó a Tom en la mano.

—Ahí está *Sepron* otra vez —dijo Elena, estupefacta.

—¡Todavía no lo puedo creer! —exclamó Tom—. ¡La Serpiente marina!

—Está enfadada —dijo Elena con los ojos muy abiertos, como si se acabara de dar cuenta de la misión que los esperaba—. ¿Cómo crees que está destruyendo Avantia?

—No lo sé —contestó Tom, y luego añadió—: Pero haga lo que haga, tenemos que detenerla. Es parte de nuestra misión.

*Plata* volvió a gemir. Mordió la capa de Elena con los dientes y empezó a tirar suavemente. Al pie de la cuesta, *Tormenta* golpeaba una roca con uno de sus cascos.

Tom sonrió.

—Vale, ya lo he entendido. Ahora sí que nos vamos.

Echó otro vistazo al mapa y lo guardó en el bolsillo. Antes de subir a lomos de *Tormenta*, se aseguró de que el escudo que le había dado el brujo Aduro estaba bien atado a la silla. Se había chamuscado con el aliento feroz de *Ferno*, pero ahora tenía una de las escamas negras y rojas del dragón, que brillaba en una hendidura de la superficie del escudo.

«¿Será cierto que a partir de ahora el escudo nos protegerá del fuego?», se preguntó Tom.

Se subió al caballo. Elena saltó detrás de él y se agarró a su cintura. Tom acarició el cuello negro y brillante de *Tormenta*.

—¡Hacia el oeste! —gritó.

Al principio, el camino zigzagueaba cuesta arriba por una arboleda. Cuando el sol ya se había puesto, llegaron a un tramo que torcía hacia una cordillera de bajas colinas.

Tom se paró cerca de un estanque y se bajó del caballo.

—Éste es un buen sitio para acampar.

Elena lo ayudó a quitar la silla a *Tormenta* para que el caballo pudiera beber. *Plata* se puso a su lado, lamiendo el agua con avidez. Tom cogió un poco de agua fresca con las manos y bebió; después empezó a buscar palos para hacer una fogata.

—¡Me muero de hambre! —exclamó Elena—. Voy a ver si hay frutos secos o moras en estos arbustos.

Mientras buscaba, *Tormenta* mordisqueaba la hierba que había a los lados del camino.

—No tenemos comida para *Plata* —dijo Tom.

—Ya encontrará algo —contestó Elena—. Vamos, muchacho. —Acarició al lobo y lo empujó para que se fuera.

*Plata* movió la cola y se perdió entre las rocas. Regresó antes de que Tom y Elena hubieran terminado de comer, y se sentaron todos juntos, preparados para pasar la noche.

Tom se quedó mirando las estrellas y empezó a pensar en *Sepron*. Quería llegar a la costa lo más rápido posible, antes de que la Serpiente marina hiciera más daño en el reino.

A la mañana siguiente, volvieron a salir muy temprano y pronto llegaron al límite de las colinas. Ante ellos tenían una ancha ladera. A lo lejos, Tom pudo distinguir el brillo distante del mar y la pequeña isla rocosa.

—¡Ya casi hemos llegado! —exclamó Elena.

Un resplandor en el agua captó la atención de Tom, que se quedó sin respiración.

—¿Qué pasa? —preguntó Elena.

—No estoy seguro, pero creo que he visto a *Sepron*.

Notó que Elena se agarraba a él con más fuerza.

—¿Dónde?

—Allí, cerca de aquella isla —señaló Tom—. Pero ya se ha ido.

Clavó los talones en los costados de *Tormenta* para que reemprendiera la marcha. Muy pronto, el camino se hizo plano y pasaron por unos campos de cultivo. Todo parecía desierto. Había grandes extensiones de terreno cubiertas de rastrojos quemados.

—¡Mira! —gritó Elena, señalando las vigas quemadas de lo que había sido una granja—. Seguro que *Ferno* estuvo aquí.

A Tom un escalofrío le recorrió la espalda a pesar de que sabía muy bien que el dragón estaba libre del maleficio

de Malvel y que nunca más volvería a quemar la tierra con su fuego. Arreó a *Tormenta* para que fuera a un trote más ligero. *Plata* iba unos pasos por delante.

De pronto, *Tormenta* reculó y se encabritó.

Elena gritó alarmada y se agarró a Tom para no caerse del caballo.

—¡Tranquilo, *Tormenta*! —gritó Tom.

Cuando las patas del caballo volvieron a tocar el suelo, empezó a moverse

de lado. Tom tiró de las riendas, pero no lo podía controlar. Entonces se dio cuenta de que *Plata* se había quedado inmóvil, con las patas rígidas y el pelo del lomo erizado. El lobo empezó a gemir nerviosamente.

—Algo anda muy mal —dijo Elena—. *Plata* siempre lo nota.

Tom miró a Elena y vio la cara de preocupación que tenía. Miró a su alrededor, pero no vio nada, sólo el campo vacío. No había señal de peligro. Pero *Plata* seguía aullando, y *Tormenta* movía la cabeza de arriba abajo con los ojos en blanco, llenos de pánico. Su pelaje negro estaba cubierto de gotas de sudor.

—¿Qué pasa, muchacho? —Tom intentaba controlarlo—. ¿Qué ocurre?

*Plata* aulló. Tenía la vista fija hacia adelante. Tom siguió su mirada y le pareció ver algo moviéndose en el hori-

zonte. Una línea plateada había apare-
cido y se extendía en ambas direcciones
hasta donde se perdía la vista. La luz del
sol se reflejaba en ella, y Tom consiguió
divisar una pared de agua que cada vez
se hacía más grande.

—Tom —dijo Elena con una voz apenas perceptible—. ¡Es un maremoto!

# CAPÍTULO 2

# CARRERA CONTRA EL MAR

Tom se quedó paralizado.

—¡Tom! —Elena lo tiró fuerte del hombro.

Tom por fin reaccionó. Tiró de las riendas, hizo volverse a *Tormenta* y le clavó los talones con fuerza en los costados.

—¡Arre! —gritó.

*Tormenta* salió disparado como una

flecha. *Plata* corría a toda velocidad cerca de ellos.

—¡Más rápido! —gritó Elena—. La ola nos va a alcanzar.

Tom echó un vistazo por encima del hombro. Ahora podía ver la inmensa pared de agua que se acercaba. No podía creer lo rápido que iba.

Se echó hacia adelante, hacia el cuello del caballo.

—Vamos, *Tormenta* —lo animó—. Tú puedes hacerlo.

El camino los llevó de vuelta a las colinas. ¿Lograrían alcanzar la cima antes de que la ola les cayera encima?

Tom volvió a mirar hacia atrás y vio la cara de terror de Elena. Su pelo ondeaba hacia atrás por la velocidad. Detrás de ellos, se acercaba la gran ola, que subía hasta el cielo. Si llegaban a las colinas, estarían a salvo, pero parecían estar muy lejos.

Entonces, Elena tiró a Tom del hombro otra vez.

—¡Hacia allí! —gritó señalando hacia un lado.

Era una loma que salía del valle. Unas rocas planas, cubiertas de una alfombra de musgo, sobresalían del resto de la tierra. A lo mejor eran lo suficientemente altas para que Elena y Tom se pusieran a salvo del maremoto.

Tom tiró de las riendas de *Tormenta*, y el caballo se salió del camino. Sus cascos retumbaron sobre el campo quemado.

Pero el rugido de la ola se hacía cada vez más fuerte. Cuando Tom miró hacia atrás, vio que se levantaba una pared de agua verde detrás de él. La parte de arriba empezaba a caer, haciendo espuma.

*Tormenta* aminoró el paso a medida que subía por las rocas. Tom se tuvo que agarrar a la parte de delante de la silla para no caerse. Elena se abrazaba a su cintura con tanta fuerza que Tom apenas podía respirar. No veía a *Plata*, aunque podía oír su aullido.

La cuesta se hizo más empinada. A Tom le aterrorizaba la idea de que *Tormenta* se pudiera caer hacia atrás, hacia la ola.

—¡Más rápido! —gritó.

El caballo empezó a subir a saltos, haciendo ruido con los cascos a medida que intentaba mantener el equilibrio sobre la roca pelada. Tom dio un grito de terror. Si *Tormenta* se caía, ¡todos morirían!

Entonces, la ola rompió contra la loma y se encontraron rodeados de agua, que llegaba hasta las patas de *Tormenta*. Un chorro de agua los empapó. A Tom le escocían los ojos y parpadeó para intentar ver.

En un último esfuerzo, *Tormenta* consiguió subirse a una roca mientras que la ola lamía la tierra. Tom y Elena se bajaron del caballo.

*Tormenta* estaba sudando y temblando. Tom le acarició el cuello.

—¡Buen trabajo, muchacho! Nos has salvado. Eres el más valiente...

—¿Dónde está *Plata*? —interrumpió Elena.

Tom miró hacia la corriente de agua y vio cómo arrastraba ramas y otras cosas, pero no había señal de *Plata*.

—¡*Plata*! ¡*Plata*! —empezó a llamar Elena frenéticamente.

Unos ladridos atemorizados le respondieron. Tom vio una sombra oscura entre las olas. *Plata* nadaba desesperadamente hacia ellos. Su hocico se hundía en el agua y luego volvía a aparecer. Tom no estaba seguro de que estuviera avanzando.

—¡No puede! ¡Se va a ahogar! —so-
llozó Elena.

Empezó a quitarse las botas para ti-
rarse al agua y ayudar al lobo.

Tom la agarró del brazo.

—¡No! ¡Es demasiado peligroso!

Pero antes de que Elena se soltara, un
remolino de agua empujó a *Plata* y lo
acercó. Consiguió agarrarse con las ga-

rras a la roca. Elena dio un suspiro de alivio, se arrodilló hasta el borde de la roca y lo agarró por el collar hasta ponerlo a salvo.

*Plata* jadeaba con fuerza, y el agua chorreaba de su grueso pelaje.

—¡Estás a salvo! —gritó Elena. Se tiró al lado del lobo y lo abrazó con fuerza—. ¡Estamos todos a salvo!

—Por ahora —dijo Tom—. Estoy casi convencido de que vi a la Serpiente marina cuando estuvimos encima de la colina. Seguro que ella fue la que causó el maremoto. Si no la liberamos de la maldición de Malvel, va a inundar todo el reino.

Tom tocó la espada que llevaba envainada en su funda. Iba a liberar a *Sepron,* costara lo que costara.

# CAPÍTULO 3

# ¡ATRAPADOS!

Tom volvió a sacar el mapa del bolsillo. El camino verde brillante, que antes llegaba a las costas del Océano Oeste, ahora terminaba en unas olas. La pequeña imagen de *Sepron* había desaparecido.

Enrolló de nuevo el mapa y miró a su alrededor. Ante él se extendía una masa de agua hasta donde se perdía la vista. Por detrás había una cuesta que llevaba a la parte de arriba de la loma. Unos árboles llenos de espinas se alzaban hasta el cielo.

—A lo mejor podemos volver a las colinas —sugirió Elena—. Tiene que haber alguna manera.

Tom señaló la cima del risco.

—Deberíamos poder ver algo desde ahí arriba.

Ambos empezaron a subir la cuesta, pero cuando llegaron a los árboles de espinos, se detuvieron horrorizados.

—¡No! —exclamó Elena.

Estaban en la parte más alta de la loma. La parte de abajo, que se comunicaba con las colinas, había desaparecido bajo las olas. Se encontraban en una isla rodeada de un inmenso lago.

Elena se cruzó de brazos.

—¿Y ahora qué hacemos?

Tom miró hacia el oeste. A lo lejos, en el mar, se podía ver una isla rocosa que sobresalía del agua. Aquél debía de ser el sitio donde había visto a *Sepron* en el mapa. Pero sin un barco, no había manera de llegar.

—¿Qué es eso? —Elena señaló a un grupo de árboles que había al otro lado de la loma.

Detrás de los árboles, Tom pudo divisar las paredes grises de unos edificios y algo que se movía.

—¡Allí hay alguien! —dijo—. ¡A lo mejor es una granja!

—¡Vamos a verlo! —sugirió Elena—. Quienquiera que sea, nos podrá ayudar.

—Buena idea. Pero no podemos decir nada de *Sepron*. La misión es un secreto.

Bajaron la cuesta para recoger a *Plata* y a *Tormenta*. Tom llevó al caballo por la loma y bajaron la cuesta hasta llegar a los árboles que había al otro lado. Elena lo siguió con *Plata* pegado a sus talones.

A medida que se acercaban a los árboles, Tom vio un grupo de personas que se había reunido alrededor de unas cabañas de piedra. Por debajo de donde estaba la gente se veían otras cabañas parcialmente cubiertas de agua. Las olas rompían contra las ventanas. A lo lejos, Tom sólo veía más tejados de paja y nada más, excepto el inmenso mar.

Elena se detuvo y abrió los ojos horrorizada.

—¡Es un pueblo! —exclamó—. El agua lo ha cubierto casi por completo.

—Espero que no se haya ahogado nadie —dijo Tom.

Al oír sus voces, un muchacho peli-

rrojo que estaba en la orilla del agua se dio la vuelta.

—No, afortunadamente todo el mundo está a salvo —informó.

—Tenemos mucha suerte de estar vivos —dijo Elena, y luego añadió—: Yo soy Elena y éste es Tom.

—Yo me llamo Calum —repuso el muchacho—. ¡Mirad esto! —Señaló las cabañas inundadas—. ¿Ahora qué vamos a hacer?

—Nos quedaremos a ayudar —aseguró Elena.

Calum negó con la cabeza.

—Gracias, pero ¿para qué? Ya no po-

demos vivir aquí. Tenemos que mudarnos, y todo por culpa de la Serpiente marina.

—¿La Serpiente marina? —exclamó Tom, intercambiando una mirada de sorpresa con Elena.

—Seguro que pensáis que decimos tonterías —dijo un hombre que estaba al lado de Calum—. Yo también pensaba eso, hasta que la vi con mis propios ojos. Está por ahí, en algún sitio. La leyenda dice que la serpiente protege a los pescadores de Avantia y hace que el mar esté lleno de peces, pero desde luego está haciendo justo lo contrario.

A Tom le dolía el estómago de la emoción. Estaban en el sitio perfecto. Con un poco de suerte, pronto se enfrentaría a la serpiente y la liberaría.

Calum señaló al hombre.

—Mi padre y yo estábamos en el mar cuando la vimos —explicó—. Destrozó nuestra barca en mil pedazos. Estaba seguro de que nos íbamos a ahogar.

—¿Qué hicisteis? —preguntó Elena.

—Nos agarramos a unos trozos de madera del barco y nadamos hasta la costa —contestó Calum—. A cada minuto pensaba que la serpiente me iba a tragar.

—Y eso ni siquiera fue el primer problema —añadió su padre—. Desde hacía semanas que ya no conseguíamos pescar ni un pez. Y ahora no tenemos barcos. ¡Menudos pescadores estamos hechos sin barcos!

—Ahí hay uno —dijo Tom señalando a una pequeña barca que estaba cerca de la orilla.

—Es el único que queda —dijo Calum desesperanzado—. Y tiene un agujero.

—Si quieres, os puedo ayudar a repararlo —se ofreció Elena—. Mi tío también es pescador y me enseñó a hacer arreglos.

El padre de Calum movió la cabeza dubitativamente, pero en los ojos del muchacho se encendió una chispa de esperanza.

—Déjanos arreglarlo, padre —dijo Calum—. Por lo menos es algo que hacer. Todavía no deberíamos perder la esperanza.

—Está bien —asintió el hombre lentamente. Después se fue hasta la orilla del agua y se quedó mirando fijamente al mar, como si esperase que la serpiente regresara.

Tom deseó poder tranquilizar al hombre. En cuanto la barca estuviera reparada, él y Elena saldrían a remo para enfrentarse a *Sepron*. Pero no podía contar a nadie que su misión era buscar a la Fiera y que ésta se encontraba bajo un hechizo.

—Necesitamos leña para hacer una hoguera —dijo Elena—. Y cuerdas y brea para reparar el agujero.

Calum miró a su alrededor.

—Hay madera y cuerdas esparcidas por todas partes. Voy a buscar la brea.

Salió corriendo y se metió en una de las cabañas.

Mientras Elena recogía pedazos de madera, Tom le quitó la silla a *Tormenta* y lo llevó hasta los árboles para que pudiera pastar. Vio una rama muy larga bajo los árboles y se la llevó arrastrando. Después encontró un manojo de cuerdas enrollado en la orilla del agua y lo empezó a desenrollar. Calum volvió de la cabaña con un tronco ardiendo. Una niña pequeña y pelirroja corría detrás de él con un cazo lleno de brea.

—Ésta es mi hermana —dijo—. Quiere ayudar.

—Hola. —Elena sonrió a la niña y empezó a hacer una hoguera con el tronco que había llevado Calum.

Calum y su hermana empezaron a

coger maderas y a ponerlas en la hoguera. Las astillas chisporroteaban con el fuego, y una columna de humo empezó a subir por el aire.

Cuando Tom terminó de desenrollar las cuerdas, él y Calum dieron la vuelta a la barca para poder acceder al agujero que tenía en un lado del casco. Tom vio que había un par de remos atados bajo el asiento. Tenían suerte. Una barca sin remos o sin vela no valdría de mucho.

Tom metió los trozos de cuerda en el agujero mientras Elena ponía el cazo al fuego y buscaba un palo para remover la brea. Cuando empezó a hervir, agarró el cazo con un trozo de su camisa y lo llevó hasta la barca. Rápidamente empezó a aplicar la brea con un palo sobre las cuerdas, por dentro y por fuera. Todo el mundo se aglomeró a su alrededor para ver cómo lo hacía, y *Plata* dio un aullido de aprobación.

De pronto, el fuego rugió muy alto, y Tom sintió un calor intenso en la espalda. *Plata* aulló aterrorizado.

Tom se dio la vuelta y vio que la hermana de Calum estaba echando más leña al fuego. Las ramas verdes soltaban chispas y crepitaban a medida que las llamas crecían.

—¡No, para! —gritó Tom.

La pequeña se alejó del fuego dando tropezones. Pero era demasiado tarde. Las llamas crecieron, y las ramas empezaron a soltar burbujas de resina caliente. Una chispa cayó en el montón de ramas que habían dejado cerca de la hoguera, haciendo saltar más chispas al aire. Otra chispa cayó justo al lado de la barca. Calum empezó a pisarla para apagar el fuego.

Pero era inútil. El fuego se había descontrolado ¡y empezaba a avanzar hacia ellos!

## CAPÍTULO 4

# FUEGO Y AGUA

Tom buscó su escudo desesperadamente. ¿Dónde estaría? Entonces lo
vio cerca de la orilla, donde lo había
dejado cuando le quitó la silla a *Tormenta*. Lo cogió y gritó a los otros.

—¡Apartaos del fuego! ¡Yo impediré
que llegue a la barca!

Elena y los otros se alejaron corriendo hasta estar a una distancia segura y

observaron a Tom, que se encontraba
entre el fuego y la barca, y avanzaba
hacia las llamas con el escudo por delante. La resina salpicaba con furia y las
llamas chocaban contra el escudo. El
calor del fuego le empezó a quemar los

pelos de los brazos. Tom apenas podía
sostener el escudo.

—¡Tom! —gritó Elena—. ¡Es muy peligroso! ¡Sal de ahí!

—¡No! —gritó Tom—. ¡Estoy seguro
de que puedo controlar el fuego! —Volvió la cara para protegerse los ojos de

las furiosas llamas. Tenía la túnica empapada en sudor.

Gradualmente, el fuego comenzó a debilitarse. Tom, todavía protegido por el escudo, apartó algunas ramas de la hoguera, y el fuego empezó a apagarse. Una humareda negra se alzó hacia el cielo.

Por fin, Tom bajó el escudo.

—¿Hay alguien herido? —preguntó.

Elena y Calum negaron con la cabeza. La pequeña pelirroja empezó a llorar.

—¡Yo sólo intentaba ayudar!

Su padre fue corriendo hasta ella y la abrazó.

—Tranquila —dijo—. No ha pasado nada. —Después le dijo a Tom—: Menos mal que la tierra estaba mojada por el maremoto y el fuego no se extendió demasiado rápido.

Tom miró a su alrededor. La tierra estaba chamuscada y salía humo. El fuego se podía haber extendido no sólo a la barca, sino también a las cabañas y entonces... Era mejor no pensarlo. Echó un vistazo a los árboles donde estaba *Tormenta*, por suerte, el caballo estaba bastante lejos del peligro.

Tom examinó su escudo y la brillante escama roja y negra de dragón que tenía incrustada en la chamuscada superficie. El brujo Aduro tenía razón. El regalo de *Ferno* lo protegía del fuego.

Levantó la vista y vio que Calum y su padre lo observaban y miraban el escudo pensativamente. A Tom se le encogió el estómago. ¿Qué iba a hacer si le empezaban a hacer preguntas?

—Volvamos a la cabaña —le dijo Calum a su hermana, dándole palmaditas en la espalda.

*Plata* apareció corriendo por la costa y se lanzó a los brazos de Elena, que lo abrazó con fuerza.

—¿Está bien? —preguntó Tom.

—Sí, está bien. Estaba bastante lejos del fuego. —Elena volvió a ponerse de pie y señaló hacia el padre de Calum, que estaba examinando la reparación de la barca—. Vamos a preguntarle si nos deja la barca.

Tom asintió dubitativamente. ¿Les dejaría el pescador su barca? Al fin y al cabo, Tom no le podía decir la verdadera razón por la que querían usarla ni lo urgente que era su búsqueda. Pero no había otra manera de llegar a *Sepron*. ¡Y Tom tenía que salvar el reino!

Se acercó al hombre.

—Señor —empezó a decir educadamente—, ¿nos podría prestar la barca? La cuidaremos bien.

El pescador se puso tieso.

—Ésta es la única barca que tenemos. ¿Crees que te la voy a dejar cuando nosotros la necesitamos?

—Dejaremos a *Plata* y a *Tormenta* aquí, con vosotros —propuso Elena, que se había acercado a Tom—. Así sabréis seguro que os la vamos a devolver.

El hombre negó con la cabeza.

—No os estoy llamando ladrones. Lo que pasa es que puede suceder cualquier cosa. Podría haber otro maremoto o una tormenta. Y la Serpiente marina sigue ahí. Os podríais ahogar y nunca más veríamos la barca.

—Pero... —protestó Tom.

—Lo siento. La respuesta es no.

Se dio media vuelta y se alejó. Tom lo miró frustrado. Sin barca, ¿cómo iban a salir a la mar y liberar a *Sepron*?

Elena le habló al oído.

—Si no nos deja la barca, tendremos que tomarla prestada sin permiso.

Tom la observó.

—Pero ¿qué dices? ¡No podemos hacer eso!

—Pero se la vamos a devolver. Tom, sabes que si no liberamos a *Sepron* del maleficio de Malvel, habrá más maremotos. Y seguirá sin haber peces en el mar. Esta gente se morirá de hambre. Tenemos que coger la barca por su propio bien.

Tom lo pensó bien. ¿Se arriesgaba a ofender a Calum y su familia o se quedaba de brazos cruzados viendo cómo el reino de Avantia terminaba destrozado por el maleficio de Malvel? Sabía que no tenía otra opción.

—Cogeremos la barca y saldremos a remo al amanecer —dijo.

# CAPÍTULO 5

# LA BÚSQUEDA CONTINÚA

Tom y Elena pasaron la noche en una de las cabañas con algunas personas del pueblo. Tom durmió en el suelo, cerca de la puerta para que él y Elena pudieran salir sin molestar a nadie.

Se despertó cuando Elena le empezó a tirar del hombro.

—¡Vamos! —susurró Elena—. Es la hora.

Una tenue luz gris entraba por las ventanas de la cabaña. Tom se puso de pie con cuidado de no hacer ruido y abrió la puerta. Él y Elena salieron afuera.

El cielo brillaba pálidamente por encima de los árboles. Tom pudo distinguir la silueta oscura de *Tormenta* pastando más arriba en la colina. *Plata* salió trotando desde los árboles y olisqueó la mano de Elena.

—Shhh, no hagas ruido —murmuró Elena.

Tom vio que las aguas de la inundación prácticamente habían desaparecido durante la noche y se podían ver más cabañas. La barca estaba donde la habían dejado, pero ahora descansaba en la cima de una cuesta y estaba cubierta de escombros.

—¡Oh, no! —exclamó Elena horrorizada—. ¿Cómo vamos a llevar la barca hasta el agua?

La barca era pequeña, pero muy robusta. Entre los dos apenas consiguieron levantarla.

—Esto no va bien —dijo Tom jadeando y volviendo a ponerla en el suelo—. Si encontráramos una cuerda, podríamos atarla a *Tormenta* para que la arrastrara.

—¡No! —protestó Elena—. La cuesta está llena de rocas y haríamos otro agujero.

Tom miró la barca. Estaban muy cerca de su misión, pero sin una barca nunca llegarían a *Sepron*.

—Vamos a intentarlo una vez más —le dijo a Elena—. Tenemos que ponerla de lado.

Entre los dos giraron la barca y la agarraron por la proa y la popa. Entonces se oyó un grito desde la cabaña donde habían dormido.

—¡Oye! ¿Qué estáis haciendo?

Tom dejó caer la barca y se enderezó. Calum estaba saliendo de la cabaña y se dirigía hacia ellos.

Tom salió corriendo para encontrarse con él.

—Calum, por favor, no despiertes a nadie. Te puedo dar una explicación.

Calum tenía una expresión furiosa en la cara.

—Pensé que queríais ayudarnos, pero ya veo que lo que queréis es robar nuestra barca.

—Sólo la queremos coger prestada —rogó Elena.

—¡Mi padre dijo que no!

Tom dudó por un instante. Por suerte, el grito de Calum no había despertado a nadie más en el pueblo. Si consiguiera convencer a Calum... Pero sabía que no podía contarle a nadie su misión. Si lo hacía, sólo difundiría el pánico.

—Necesito la barca para algo muy importante —empezó a decir.

Calum lo observaba pensativo, de la misma manera que había observado el escudo de Tom al enfrentarse a las llamas. Entonces miró hacia el mar.

—Creo que me lo puedo imaginar —dijo—. Me pareció extraño lo que hiciste con el escudo. —Se detuvo y luego añadió—: Me recuerdas a alguien.

—¿A quién? —preguntó Tom.

—A un hombre que pasó por aquí, hace ya más de un año. Se parecía a ti.

El corazón de Tom empezó a latir dolorosamente. ¿Sería su padre?

—¿Cómo se llamaba? —preguntó agarrando al muchacho por los hombros.

Calum movió la cabeza.

—No lo dijo. Sólo me dijo que tenía una misión. —Esperó un momento y luego añadió—: Creo que tú también tienes una misión.

Tom estaba seguro de que aquel hombre era su padre, Taladón. Se moría de ganas por saber más cosas de él. Quería que le contara hasta el último detalle de su estancia en el pueblo, pero no había tiempo. El cielo empezaba a brillar, y pronto la gente del pueblo empezaría a despertarse. Y tampoco le podía contar a Calum su secreto, aunque casi lo había descubierto por su cuenta. Miró al muchacho fijamente a

los ojos. Elena no dijo ni una palabra y *Plata* aulló débilmente.

Al cabo de un rato, Calum asintió con decisión.

—Está bien, os ayudaré a mover la barca.

Entre los tres consiguieron levantar la barca y bajarla por la colina. El agua de la inundación prácticamente había desaparecido y, a trompicones, consiguieron llegar hasta una playa de gui-

jarros donde había suficiente profundidad en el mar para poner la barca. Tom y Elena se subieron a bordo. *Plata* ladró ansiosamente e intentó seguirlos.

—No, *Plata* —dijo Elena acariciando el grueso pelaje de su cuello—. Esta vez no puedes venir.

—Yo lo cuidaré —prometió Calum—. Y al caballo también. —Puso la mano en la cabeza de *Plata*. El lobo lo miró y aulló tristemente.

—Volveremos pronto —dijo Tom.

Elena acarició a *Plata* por última vez. Luego desató los remos y le dio uno a Tom. Ambos empezaron a remar mar adentro.

Detrás, en la playa, Calum se quedó con el agua hasta las rodillas y con *Plata* a su lado. Levantó una mano.

—¡Buena suerte! —dijo.

—Gracias —contestó Tom mirando a Elena—. La vamos a necesitar.

CAPÍTULO 6

# DESCUBRIMIENTO EN LA ISLA

Remar era difícil. A Tom le temblaban las manos de tanto remar, y el sudor hacía que la túnica se le pegara al cuerpo. Elena tenía todo el pelo en la cara y soltó un momento el remo para quitarse el sudor de la frente con la manga.

Un extraño silencio los rodeaba. Los únicos sonidos que se oían eran el crujir de los remos y el golpe de las palas al entrar en el agua. El mar empezó a picarse a medida que se adentraban, y la corriente hacía que les resultara más difícil remar.

A Tom le dolían los músculos cada vez que metía el remo en el agitado mar. Cerró los ojos con fuerza e intentó ignorar el agudo dolor de los brazos. Podía oír a Elena jadeando del esfuerzo.

Poco a poco, Tom empezó a divisar la forma de una isla rocosa a través de la neblina del amanecer.

—Vamos hacia allí —le dijo a Elena—. Creo que ahí es donde vi a *Sepron*, justo antes del maremoto.

Miró por encima del hombro hacia la niebla. No había señal de la serpiente. Tom notó que un escalofrío helado le recorría la espalda al pensar que la gigantesca cabeza podría surgir de entre las aguas.

Entonces, Elena dio un grito.

—¡Tom! ¡La barca hace agua!

Tom se quedó paralizado. El agua ya le cubría los pies y entraba más agua por el agujero que Elena había reparado el día anterior. Estaba tan empapado en sudor que ni siquiera se había dado cuenta.

—No ha dado tiempo de que se secara bien la brea —dijo Elena—. Tenemos que llevar la barca a la playa y arreglarla.

—¡No podemos volver al pueblo! —dijo Tom alarmado.

—Dame tu remo. Yo remaré mientras tú achicas el agua. Intentaremos llegar hasta la isla rocosa.

Elena empezó a remar otra vez mientras que Tom sacaba el agua con las manos.

Cada vez estaban más cerca de la isla, y Tom pudo divisar una zona plana con guijarros entre dos riscos escarpados.

—¡Allí! —exclamó.

Las olas rompían peligrosamente contra las rocas mientras Elena intentaba mantener el rumbo y meter la barca entre los dos riscos. La barca se movía de un lado a otro con las olas.

Pero por fin, Tom notó el ruido del casco al rozar los guijarros. Elena suspiró aliviada y metió los remos en la barca. Después, los dos se bajaron a tierra y la arrastraron fuera del agua.

Mientras Elena metía las cuerdas y la brea en el agujero, y las apretaba firmemente, Tom se dedicó a sacar el agua que quedaba en la barca. Cuando terminó, se acercó a la orilla y observó el mar. La superficie del agua tenía un brillo plateado con la luz de la mañana, y las olas rompían contra las rocas, convirtiéndose en espuma.

«¿Dónde estará *Sepron?*», se preguntó Tom.

—¡Ya está! —dijo Elena—. Esto debería aguantar hasta que lleguemos a la costa.

Tom sabía que el sol ya debía de haber salido sobre las colinas de la isla, pero la neblina marina se había hecho más densa y no podía ver la costa. El nivel del mar había bajado todavía más, dejando más rocas al descubierto y un montón de algas por todas partes. Tom arrugó la nariz al notar el olor. Un pez plateado aleteaba desesperadamente sobre una roca plana. Elena lo empujó un poco y el pez volvió al agua.

—¿Y ahora qué? —preguntó Elena, mirando a su alrededor.

Tom sacó el mapa y lo desdobló.

—En el mapa, *Sepron* sale nadando en el agua, cerca de esta isla —murmuró—. Debe de andar cerca.

Volvió a mirar hacia el mar. Seguía en calma, pero sabía que por debajo de aquellas olas, *Sepron* estaba al acecho. Si la inmensa serpiente salía a la superficie en ese momento, Tom y Elena no podrían escapar. No tenía sentido quedarse ahí. Tenían que moverse y encontrar a la Fiera.

—Vamos a echar un vistazo —sugirió Tom—. A lo mejor encontramos una pista que nos diga dónde puede estar *Sepron*.

Tom y Elena recorrieron juntos la base rocosa de la isla. No había nada que ver salvo más algas y unos cangrejos pequeñitos. ¡Tenía que haber alguna señal en algún lado! Entonces, Tom descubrió un aro de hierro que estaba clavado en el centro de una roca.

—¡Oye! —llamó a Elena—. Ven a ver esto.

Elena se acercó corriendo. Tom examinó el aro de cerca y en ese momento se dio cuenta de que tenía una cadena atada que salía del agua. Aunque estaba totalmente cubierta de algas y de percebes, tenía un brillo misterioso que desaparecía a medida que la cadena se hundía en el agua.

Elena se quedó sin aliento.

—¿Crees que estará embrujada? —preguntó a Tom.

Entonces éste se agachó, tocó la cadena y asintió.

—¡Esto debe de ser lo que tiene atrapado a *Sepron!* —manifestó con sorpresa.

# CAPÍTULO 7

# ¡SEPRON, POR FIN!

—¡Tienes razón! —dijo Elena—. Esta cadena debe de estar atada a un collar dorado como el que llevaba *Ferno*.

—Además es la única pista que tenemos —contestó Tom—. Debemos seguirla. Vamos a coger la barca.

Tom y Elena empujaron la barca hasta el agua. Por suerte, la nueva reparación parecía aguantar, y el interior de la barca se mantenía seco.

Rodearon a remo las rocas y llegaron hasta donde estaba el aro de hierro que sujetaba la cadena. Entonces, metieron los remos en la barca e intercambiaron una mirada. Era ahora o nunca. Tom sentía un nudo de miedo en la boca del estómago. Se dio cuenta de que Elena también tenía miedo porque en el momento en que intentó alcanzar la cadena, le temblaba la mano. Tom puso su mano sobre la de ella.

—No te preocupes —dijo—. Todo saldrá bien.

—¿De verdad? —preguntó Elena.

Tom intentó sonreír. Luego se enderezó y agarró con fuerza la cadena.

—¡Tira! —dijo y los dos empezaron a tirar de la cadena dorada, que estaba resbaladiza por las algas. Mano a mano, siguiendo el trayecto de la cadena, arrastraron la barca mar adentro. La densa niebla los rodeó y pronto perdieron de vista la isla rocosa. La superficie del mar estaba plana, y todo lo que podían oír era el agua que salpicaba en la cadena.

—Intenta no escorar la barca —dijo Elena.

Tom asintió. Era mejor que *Sepron* no se enterara de que estaban cerca hasta que estuvieran listos. Pero la cadena pesaba mucho.

—¡Esto es un trabajo durísimo! —dijo Tom sin aliento.

Entonces se le escapó la cadena de las manos y cayó en el suelo de la barca. Ésta se movió, haciendo olas. Elena se agarró a un costado de la barca y miró hacia el mar.

—¡Ahí hay algo! —exclamó—. Algo enorme.

Tom se puso a su lado y miró. Efectivamente, una sombra enorme se deslizaba por debajo de la barca. De pronto se oyó el ruido muy fuerte de algo que había salpicado al otro lado de la barca. Tom se quedó helado. Enormes gotas de agua empezaron a llover sobre ellos.

Tom sabía lo que iba a ver. Se armó de valor y se volvió para verlo. Elena gritó.

En medio del mar se encontraron con la cabeza gigantesca de una serpiente marina. Tenía unas escamas brillantes de todos los colores del arco iris, que le cubrían la cabeza y el cuello, y en las que se habían enganchado muchas algas y percebes. Estaba rodeada de agua espumosa.

—¡Es impresionante! —susurró Elena.

Tom sintió una punzada de alegría. La Fiera era realmente impresionante, a pesar de su tamaño y su furia. Tendría que estar nadando libremente por

el mar, en lugar de estar atrapada por un maleficio.

—Mira el collar —dijo Tom señalándolo—. Es igual que el de *Ferno*, como ya me imaginaba.

El collar estaba atado con un enorme candado, y de él salía la cadena dorada que se hundía en el mar. *Sepron* rugió y empezó a mover la cabeza de un lado a otro intentando liberarse. Luego volvió a sumergirse en el agua.

En cuanto desapareció, se formaron unas olas que movieron la barca peligrosamente. Tom y Elena se agarraron a un costado de la barca hasta que el mar se calmó. Tom miró hacia el agua. Entrecerró los ojos como si se le estuviera ocurriendo una idea. *Sepron* estaba en algún lugar, ahí abajo. Pero la serpiente podía permanecer escondida para siempre. Tom sabía lo que tenía que hacer. Tenía que seguirla.

—Voy a meterme en el agua —dijo Tom—. Si consigo aguantar la respiración el tiempo suficiente, podré abrir el candado con la llave que me dio el brujo Aduro—. Sacó la llave del bolsillo y la sujetó.

Elena lo miró con ansiedad, sin embargo no hizo ningún intento por detenerlo.

—Ten mucho cuidado —le pidió en voz baja.

—No te preocupes, lo tendré.

—Tiene que haber algo que yo pueda hacer —dijo Elena.

Tom cogió el escudo y se lo dio.

—Sujeta esto de forma que refleje la luz del sol en el agua —le dijo—. Me ayudará a encontrar el camino de vuelta.

Tom se quitó las botas, la espada y el chaquetón que utilizaba de camisa, y finalmente se sentó en el borde de la barca, observando el fondo del mar azul.

—No puedo fallar en esta misión —murmuró—, mientras corra la sangre por mis venas —dijo en voz baja—. ¡Liberaré a *Sepron!*

Entonces tomó una bocanada de aire y a continuación se sumergió en el agua.

# CAPÍTULO 8

# EL REINADO
# DE SEPRON

Tom empezó a bucear enérgicamen-te. Se sumergió en un mundo silencio-so y misterioso donde todo parecía mo-verse a cámara lenta. El agua tenía zonas de luz que se colaba desde la su-perficie. Al nadar, iba dejando un ras-tro de burbujas plateadas de aire.

A medida que descendía, el único so-nido que podía oír era la presión en sus oídos. La luz desapareció y empezó a entrarle pánico al enfrentarse a la profundidad oscura del mar. No podría aguantar la respiración durante tanto tiempo. ¡Se ahogaría! Quería dar la vuelta y regresar a la luz.

Entonces hizo un gran esfuerzo y se obligó a calmarse. No podía dar la vuelta ahora. Ésta era su misión. Nadie más podía ayudar a los pescadores y liberar

el reino de Avantia de la amenaza de *Sepron*. Siguió bajando, dando brazadas con decisión.

De pronto vio una luz dorada. ¡Era la cadena de *Sepron*!

Tom nadó hasta allí y la siguió. Llevaba a un sitio lleno de algas que se movían delicadamente cuando Tom las apartaba de su camino. Tom siguió bajando, y un banco de peces de color azul eléctrico le

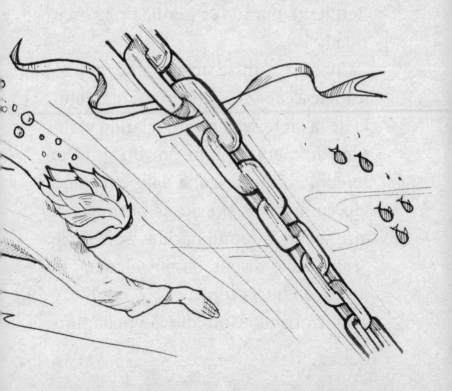

pasó al lado de la cara. Los peces desaparecieron de su vista rápidamente, como si supieran lo que estaba a punto de suceder. Más abajo, un arrecife de coral descansaba sobre el fondo del mar. Tumbada encima del coral estaba *Sepron*.

Tom se sobresaltó y casi tragó una bocanada de agua. La cabeza de *Sepron* y el collar con el candado estaban cerca de él. El inmenso cuerpo de la Serpiente marina se perdía en la oscuridad.

Cuando Tom se acercó nadando, la inmensa cabeza se volvió. La mandíbula de la Fiera se abrió, revelando varias filas de dientes. Tom dio un grito de miedo, aunque estaba bajo el agua, y vio cómo unas preciosas burbujas de aire salían flotando hacia la superficie. *Sepron* salió disparada por el agua, en dirección hacia Tom.

Aterrorizado, Tom dio la vuelta. Empezó a mover con fuerza los brazos y las piernas y a nadar hacia la luz. De su boca salió una burbuja, llevándose lo poco que le quedaba de aire. Le dolían los pulmones y luchaba intentando no respirar debajo del agua.

Una mancha brillante en la superficie le indicó la dirección hacia donde debía ir. Miró hacia atrás, convencido de que las malvadas mandíbulas abiertas de *Sepron* se cerrarían sobre sus piernas en cualquier momento. Pero por suerte, vio que el monstruo abandonaba su persecución y se volvía a hundir en las profundidades del mar.

Un instante después, Tom consiguió sacar la cabeza y los hombros a la superficie. Pataleó en el agua y empezó a tragar aire desesperadamente. La luz del sol lo deslumbró. Cuando sus ojos por fin se acostumbraron a la luz, vio la barca bastante cerca, y a Elena, que seguía sujetando el escudo. ¡Nunca había estado tan feliz de ver algo!

—¡Tom! ¿Estás bien? —gritó Elena.

—Sí, estoy bien —jadeó Tom. Aunque no se sentía bien. Estaba agotado, pero sabía que tenía que volver a intentarlo. Arrastró los brazos y las piernas por el agua hasta llegar a la barca. ¿Lo podría hacer una vez más?

«Tengo que hacerlo», murmuró para sus adentros.

—¿Encontraste a *Sepron?* —preguntó Elena.

Tom intentó ignorar el amargo sabor de la desilusión al admitir haber fracasado.

—La encontré, pero... —Tom seguía intentando recuperar el aliento— no me pude acercar. Tengo que probarlo otra vez.

—No intentes tomar demasiado aire —le aconsejó Elena—. Y trata de moverte despacio para no desaprovecharlo.

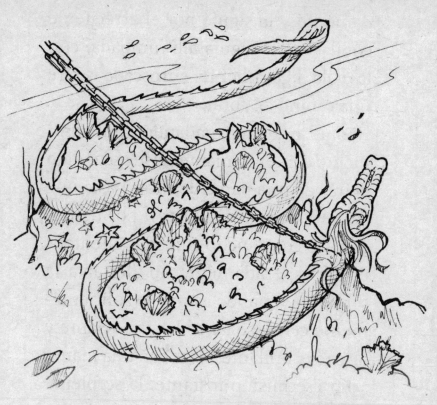

Tom asintió, agradecido por el consejo.

Siguió pataleando en el agua hasta que consiguió volver a respirar con normalidad. Entonces volvió a tomar aire, pero no demasiado. Se despidió de Elena con la mano y se hundió en el agua.

Esta vez encontró la cadena más rápidamente y la siguió por el arrecife de coral. *Sepron* seguía allí tumbada, con la cola ligeramente enroscada sobre una espiral de coral.

Tom se acercó nadando cautelosamente e intentó mantenerse escondido detrás de una pared de rocas hasta que pudiera acercarse a *Sepron* por detrás. Avanzó con mucho cuidado, intentando desesperadamente no alertar a la serpiente. Cuando estuvo lo suficientemente cerca, se lanzó hacia adelante y agarró el brillante collar con una mano.

En ese mismo instante, la serpiente empezó a mover la cabeza de un lado a otro, intentando librarse de él. Tom se agarró con fuerza al collar y empezó a avanzar hasta encontrarse por debajo de las mandíbulas poderosas de *Sepron*. Entonces agarró el candando que descansaba sobre las gruesas escalas multicolores de la serpiente.

Tom sacó la llave del brujo Aduro del bolsillo todo lo rápido que pudo. La metió en al agujero del candado, pero cuando intentó girarla, la llave se atascó. Horrorizado, Tom se dio cuenta de que este candado era distinto. ¡La llave no valía para nada!

*Sepron* movió la cabeza con brusquedad hacia adelante. Tom se soltó del candado y salió rodando por el agua. La cola de la serpiente lo golpeó en el brazo e hizo que soltara la llave, que se iluminó con el brillo de la cadena y empezó a hundirse hacia el fondo del mar. Tom la miró con resignación. No tenía sentido ir a buscarla. No servía para abrir el candado.

«Y ahora, ¿qué hago? —se preguntó a sí mismo—. ¿Cómo voy a liberar a *Sepron* sin una llave?»

# CAPÍTULO 9

# LA ÚLTIMA OPORTUNIDAD

*Sepron* dobló el cuello y abrió sus hambrientas mandíbulas hacia Tom. Con la poca fuerza que le quedaba, Tom dio una patada en el agua y empezó a subir hacia la superficie. El pecho le quemaba por la falta de aire.

Una vez más, vio el brillo del escudo que sujetaba Elena. De alguna manera consiguió salir a la superficie cerca de la

barca, y empezó a tragar aire desesperadamente. Se quitó el pelo mojado de
los ojos y jadeó con fuerza.

—¡Tom! —gritó Elena—. ¿Estás bien?
¿Has liberado a *Sepron?*

—No. La llave no servía —contestó
Tom con la voz afónica. Nadó hacia la
barca y se agarró a un lado—. Y luego
se me cayó. No hay manera de quitarle
el collar.

Elena abrió los ojos aterrorizada.

—¿Qué vamos a hacer?

Tom clavó la mirada en la vaina de su
espada.

—¡Voy a intentarlo con esto! —dijo
desenvainando la espada.

Sujetó el filo delante de él y volvió a
sumergirse. Esta vez vio una sombra
inmensa antes de llegar al fondo y se
dio cuenta de que era *Sepron*, que lo
estaba esperando.

La serpiente arqueó el cuello por encima de Tom y sus dientes afilados pasaron a unos centímetros de su pie. Tom siguió bajando, pero no podía nadar más rápido que la serpiente. ¡Tenía que conseguir abrir el collar!

Con el corazón latiéndole a toda velocidad, Tom supo que tenía que ac-

tuar. No le quedaba mucho aire y si intentaba volver a salir a la superficie, *Sepron* lo atraparía.

«¡Ésta es mi última oportunidad!», pensó.

Dio la vuelta en el agua y empezó a nadar en dirección al cuerpo de *Sepron*. La serpiente abrió la boca, y en ese momento, Tom consiguió meterse por debajo de su mandíbula y agarrarse al candado. La cabeza de la serpiente no paraba de moverse, y Tom no conseguía poner la punta de la espada en el candado.

No podía aguantar la respiración mucho más, necesitaba aire desesperadamente. Sentía los brazos y las piernas como si fueran de plomo, y la espada lo hacía hundirse al intentar meter el filo en el candado.

«¡Tiene que funcionar! —se dijo a sí mismo—. ¡Tiene que salir bien!»

Con todas las fuerzas que le quedaban, lo volvió a intentar una vez más.

El candado se abrió de pronto, haciendo que Tom cayera hacia atrás en el agua. En ese mismo instante, *Sepron* dejó de dar sacudidas, y la cadena dorada empezó a soltarse. Impaciente por estar libre, la serpiente mordió la cadena con furia y consiguió separar los eslabones dorados con sus gigantescos dientes. La cadena, el collar y el candado emitieron un brillo azulado durante un segundo y luego desaparecieron. *Sepron* había estado bajo el maleficio de Malvel durante mucho tiempo, pero ahora la Fiera estaba libre.

# CAPÍTULO 10

# LA SIGUIENTE MISIÓN

Tom consiguió llegar a la superficie, arrastrando la espada. Estaba agotado, y apenas podía mover los brazos y las piernas.

De pronto, notó algo que lo golpeaba por debajo. Se quedó paralizado del miedo al mirar hacia abajo y ver la cabeza de *Sepron*. Pero la expresión de furia había desaparecido de su cara y sus ojos pálidos tenían un brillo alegre. Le dio a Tom otro golpecito, empujándolo hacia la luz.

Cuando Tom llegó a la superficie, *Sepron* lo levantó y lo sacó del agua. Tom se agarró a la Fiera y ésta extendió el cuello hacia la barca.

—¡Tom! —gritó Elena—. Ya no tiene el collar. Lo has conseguido.

Tom miró y sonrió.

—¡Sí! *Sepron* está libre.

La serpiente bajó la cabeza para depositar a Tom en la barca y algo se cayó de su mandíbula. Tom lo recogió.

—Es un diente —dijo observando el trozo mellado de marfil. Miró a *Sepron*, pero no parecía que le doliera nada. Debía de haberlo perdido al morder la cadena dorada. Tom acercó la mano y tocó las escamas brillantes de la fiera.

—Gracias —dijo. Sin la ayuda de *Sepron*, se habría ahogado.

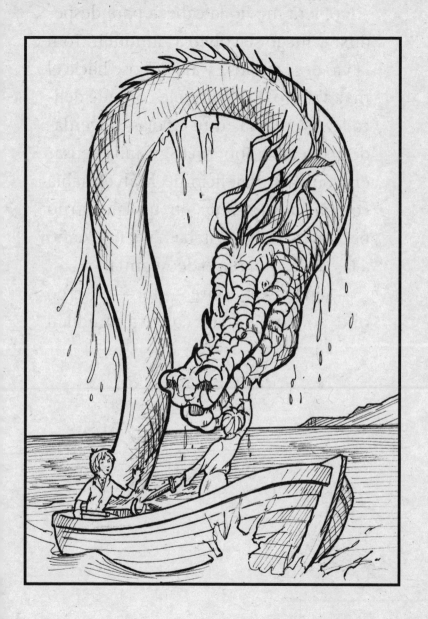

La Fiera movió la cabeza para despedirse y luego se volvió a zambullir. Tom la vio deslizándose y alejándose hacia el mar abierto. Era increíble con qué delicadeza se movía entre las olas, su verdadero hogar. A Tom no le gustaba pensar en cómo el maleficio de Malvel había convertido a *Sepron* en un monstruo perverso. Malvel estaba haciendo daño a las Fieras y al reino de Avantia.

—Sepron está libre —dijo—. Y creo que podemos decir con tranquilidad

que no habrá ningún otro maremoto y que en el mar volverá a haber peces.

Tom y Elena se miraron durante un momento. Entonces Elena soltó un grito de triunfo. Los dos levantaron los brazos y se abrazaron emocionados y aliviados.

Tom oyó unas toses justo detrás de él. Tom y Elena se sobresaltaron. Era Aduro. Parecía estar de pie sobre las olas, cerca del barco, pero Tom podía ver las olas azules del mar a través de su•túnica y se dio cuenta de que era otra visión. Aduro estaba en la ciudad de Avantia, pero con su magia había mandado su imagen para poder hablar con Tom y Elena cara a cara. Se alegraron mucho de verlo.

—¡Buen trabajo! —dijo el brujo—. Veo que no me equivoqué al elegirte, Tom. Has liberado a *Sepron* del maleficio y has hecho que el mar que protege vuelva a ser seguro.

—No lo podía haber conseguido sin Elena —dijo Tom.

El brujo Aduro sonrió.

—Los dos habéis demostrado tener un gran valor —dijo—. Toda Avantia os lo agradecerá. Y ahora —añadió—, ¿eso que veo ahí es un diente de serpiente?

Tom le mostró el diente mellado.

—Se le cayó a *Sepron* en la barca.

—Ese diente es un regalo de la serpiente. Ponlo en tu escudo —le ordenó el brujo.

Tom cogió el escudo y vio que se había abierto una hendidura de la que salía una luz verde mar, justo al lado de la escama de *Ferno*. Tom metió el diente y la hendidura empezó a brillar con más fuerza. Entonces, los lados del agujero se cerraron alrededor del diente, como si el escudo lo hubiera estado esperando todo ese tiempo.

—Ahora tu escudo te protegerá de las

corrientes de agua —dijo Aduro—. Ni
siquiera los torrentes más potentes po-
drán hacerte daño.

Tom observó el escudo maravillado.
Ya había comprobado que lo protegía
del fuego. Ahora también lo protegería
del agua.

—Gracias —dijo.

—No me des las gracias a mí —dijo
Aduro con un guiño—. Te lo has gana-

do tú solo. Cada vez que liberes a una Fiera, tus poderes crecerán.

Tom miró a Elena, que estaba maravillada.

—Ahora ¿qué debemos hacer? —preguntó.

—Primero tenéis que volver al pueblo —contestó el brujo—. Decidle a vuestro amigo Calum que él y su familia ya no tienen nada que temer.

Tom asintió.

—Sí, y tenemos que recoger a *Plata* y a *Tormenta*.

—Luego tenéis que ir hacia las montañas del norte —continuó el brujo Aduro—. *Arcta*, el Gigante de la montaña, también está hechizado por el maleficio de Malvel y se ha convertido en una amenaza para el reino.

—¿Qué está haciendo? —preguntó Elena.

—*Arcta* está provocando avalanchas

que llegan hasta el pueblo de mercaderes que hay al pie de las montañas. Si destruye el pueblo, el mercado desaparecerá y todo el reino sufrirá.

—Y nuestra misión es detenerlo —dijo Tom. Se imaginaba la avalancha de rocas, nieve y tierra cayendo encima del pueblo. La gente debía de estar aterrorizada.

—Así es —dijo Aduro—. Vuestra siguiente misión es liberar a *Arcta*.

—Haré todo lo que esté en mi mano —prometió Tom.

—El mapa te volverá a ayudar —dijo Aduro.

—Gracias, yo... —empezó Tom. Pero Aduro ya había empezado a desvanecerse. El mar brilló con más fuerza a través de su túnica. Y de repente, desapareció.

A Tom lo inundó un sentimiento de soledad. Echaba de menos a sus tíos, y se volvió a preguntar dónde estaría su padre. Pero tenía que continuar su misión. Miró a Elena. Juntos habían vivido grandes peligros y habían sobrevivido. Sabía que formaban un gran equipo. Juntos terminarían la Búsqueda de las Fieras.

—Mientras corra la sangre por mis venas, liberaré a cada una de las Fieras —prometió.